L'AVOCAT

TOME 1
JEUX DE LOI

scénario
LAURENT GALANDON
FRANK GIROUD

dessin
FREDERIC VOLANTE

couleurs
CHRISTOPHE BOUCHARD

TROISIÈME VAGUE LOMBARD

Pour leurs conseils et leur relecture
attentive, merci à maître Maud Coudrais,
à maître Francine Havet et surtout à
maître Joël Werba qui n'a pas hésité
à nous consacrer une bonne partie
de son temps précieux pour nous initier
au quotidien d'un avocat pénaliste.

Pour son enthousiasme, sa confiance
et son investissement, merci à Gauthier
Van Meerbeeck.

Merci également à Camille Blin pour
sa patience, sa disponibilité, sa vigilance
et son efficacité.

Merci encore à tous les participants
du Cercle de Mirmande qui ont vu
naître ce projet et l'ont encouragé.

Enfin, merci à Dominique Caubet et
à Jihane Madouni pour les traductions
en arabe.

F.G. & L.G.

À Noé, Nathaël, Anatole et Aurèle.

L.G.

À toi qui tiens cette BD dans tes mains !
Bonne lecture !

FREDERIC VOLANTE

Certifié PEFC
Ce produit est issu
de forêts gérées
durablement et de
sources recyclées
et contrôlées.
PEFC
10-31-1800
pefc-france.org

Traduction des textes en arabe :
Dominique Caubet et Jihane Madouni
Lettrage : Michel Brun

Première édition

© GALANDON / GIROUD / VOLANTE /
ÉDITIONS DU LOMBARD
(DARGAUD-LOMBARD s.a.) 2015

D/2015/0086/364
ISBN 978-2-8036-3573-3

Dépôt légal : septembre 2015
Imprimé et relié en France par PPO Graphic,
91120 Palaiseau.

LES ÉDITIONS DU LOMBARD
7, AVENUE PAUL-HENRI SPAAK
1060 BRUXELLES - BELGIQUE

Pour être tenu informé de la date de parution
du prochain album, profitez de notre service d'alerte.
Rendez-vous sur www.lelombard.com/alertes.

WWW.LELOMBARD.COM

TROISIÈME VAGUE LOMBARD

SÉRIES

ALPHA
Jigounov / Renard
Jigounov / Mythic
Jigounov
Lamquet / Jigounov

ALPHA PREMIÈRES ARMES
Loutte / Herzet

ALVIN NORGE
Lamquet

BLACKLINE
Del Vecchio / Loiselet / Queyssi

CAPRICORNE
Andreas

CH CONFIDENTIEL
Ceppi

DISTRICT 77
Denys / Dugand

HEDGE FUND
Hénaff / Roulot / Sabbah

I.R.$.
Vrancken / Desberg

I.R.$. - ALL WATCHER
Queireix / Desberg
Koller / Desberg
Mutti / Desberg
Bourgne / Desberg

I.R.$. TEAM
Bourgne / Desberg
Koller / Desberg

JAMES HEALER
De Vita / Swolfs

JOHN TIFFANY
Panosian / Desberg

KORALOVSKI
Gauckler

L'AVOCAT
Volante / Galandon / Giroud

MISS OCTOBRE
Queireix / Desberg

NARCOS
Liotti / Herzet / Orville

NIKLOS KODA
Grenson / Dufaux

RAFALES
Vallès / Desberg

SHERMAN
Griffo / Desberg

SISCO
Legrain / Benec

VLAD
Griffo / Swolfs

TROISIÈME VAGUE ONE-SHOT

RÉCIT COMPLET

BAGDAD INC.
Legrain / Desberg

3

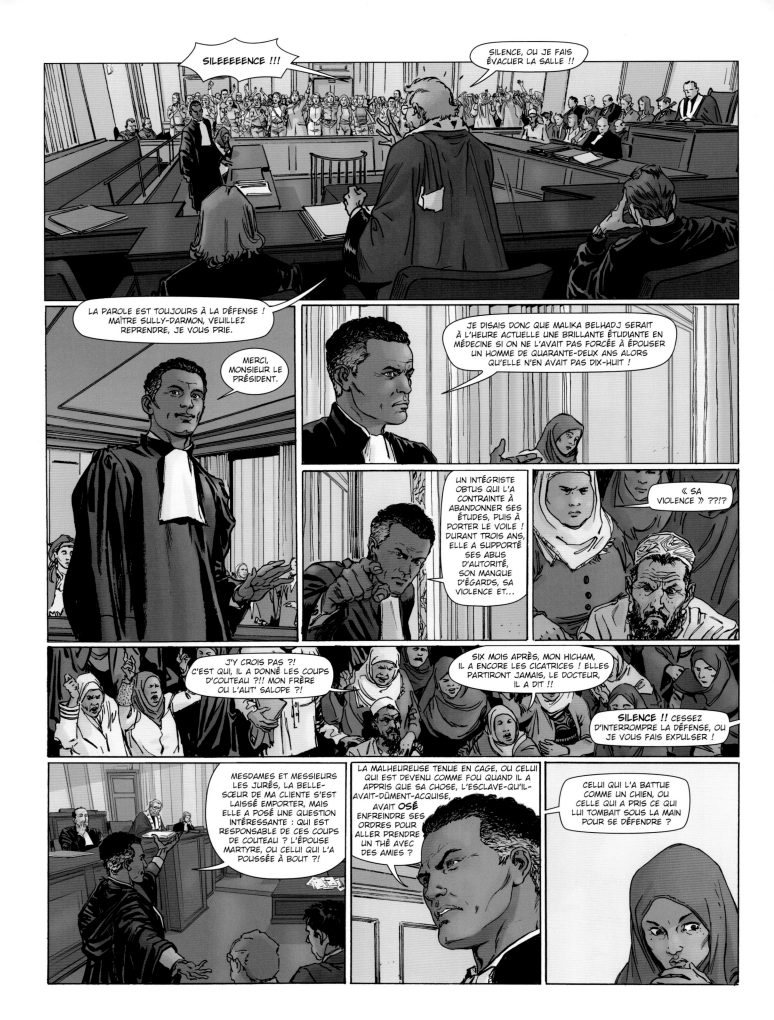

4

* TU RÔTIRAS EN ENFER, MAUDIT DÉNÉGATEUR !

MLIH' ! RANI CHWIYA MEBRAD !*

YA L-MOJADDAF ! YA KAFER ! YENÂAL DIN BÉBÊK !

ENCORE UNE FOIS, LA PLAIDOIRIE DE MAÎTRE LÉOPOLD SULLY-DARMON AURA DÉCHAÎNÉ LES PASSIONS...

APRÈS AVOIR DÉFENDU LES SANS-PAPIERS, LES FAUCHEURS D'OGM ET LES OUVRIERS DE GOODYEAR...

... LE SULFUREUX AVOCAT MET À PRÉSENT LES PIEDS DANS LE PLAT INTÉGRISTE.

SURNOMMÉ « LSD » PAR SES COLLÈGUES, « L'AVOCAT DES GUEUX » PAR SES PARTISANS ET « L'AVOCAT DÉGUEU » PAR SES DÉTRACTEURS, ACCUSÉ PAR CERTAINS...

... D'AIMER TOUT AUTANT LA LUMIÈRE DES PROJECTEURS QUE CELLE DE LA VÉRITÉ, CET AVOCAT D'ORIGINE FRANCO-CAM...

J'IGNORAIS QUE VOUS PARLIEZ ARABE, MAÎTRE !

ÉTONNANT... VOUS NE SAVEZ DONC PAS TOUT DE MOI, MONSIEUR POLJAK ?

COMMENT LE POURRAIS-JE ? VOUS BROUILLEZ TROP BIEN LES PISTES...

AH BON ?

OUI. À PROPOS DE VOTRE... « TOUR DU MONDE »... PAR EXEMPLE.

VOUS PRÉTENDEZ QUE DURANT L'ÉTÉ 86, VOUS VOUS TROUVIEZ DANS LE NORD DU CAMEROUN ; OR À CETTE ÉPOQUE, LA RÉGION ÉTAIT ENTIÈREMENT BOUCLÉE SUITE À UNE ÉRUPTION LIMNIQUE SURVENUE SUR LE LAC NYOS...

DANS CES CONDITIONS, COMMENT...

LE LAC NYOS ? 86 ? ON S'EN FOUT !

MAIS QU'EST-CE QU'IL RACONTE ?!

ALLEZ, POUSSE-TOI !

MAÎTRE ! QUE VA DEVENIR VOTRE CLIENTE ?

EST-CE VOUS QUI ALLEZ VOUS OCCUPER DE SON DIVORCE ?

MAÎTRE SULLY-DARMON ! QUE PENSEZ-VOUS D'UNE INTERDICTION GÉNÉRALE DU VOILE EN FRANCE ?

MAÎTRE ! EN S'IMMISÇANT DANS LA SPHÈRE PRIVÉE, LA JUSTICE N'OUTREPASSE-T-ELLE PAS SON RÔLE ?

CERTAINS PENSENT QU'ISLAM ET RÉPUBLIQUE SONT INCOMPATIBLES ! QUELLE EST VOTRE OPINION ?

À VOTRE AVIS, MAÎTRE, L'INSTITUTION JUDICIAIRE A-T-ELLE UN RÔLE À JOUER POUR RÉDUIRE LA FRACTURE COMMUNAUTARISTE QUI MENACE LE PAYS ?

* ÇA TOMBE BIEN, JE SUIS UN PEU FRILEUX !

6

DÉSOLÉE... LA NOURRICE EST MALADE ET JE N'AI PAS EU LE TEMPS DE TROUVER UNE REMPLAÇANTE.

MERCI.

BRAVO, AU FAIT...

SUR PAPIER. MAIS SUR INTERNET, SES BIOS DE TAPIE, DE MESRINE OU DE BETTENCOURT SONT MASSIVEMENT TÉLÉCHARGÉES, ET SES ARTICLES CONSULTÉS PAR DES CENTAINES D'INTERNAUTES...

OH ! EUH... L'ALLUMÉ DE « PPJ.COM » VIENT DE NOUS ADRESSER SA DERNIÈRE MISE À JOUR...

BAH ! POLJAK BRASSE BEAUCOUP MAIS, JUSQU'À PREUVE DU CONTRAIRE, IL N'A JAMAIS RIEN PUBLIÉ.

MERDE !?

PPJ.com

NO EURO !!!

MAIS OÙ DONC LÉOPOLD SULLY-DARMON A-T-IL APPRIS L'ARABE ?

BRRRRRRR

M.

MINA ? QU'EST-CE QUE... HEIN ?... AH... ET...? BON, BON ! CALME-TOI... J'ARRIVE.

JE VOUS LAISSE FERMER, GAËLLE. JE NE REPASSERAI PAS. BONNE SOIRÉE.

7

ÉCOUTEZ-MOI BIEN, ESPÈCE DE CLOPORTE...

NON SEULEMENT, VOUS ALLEZ RECONSIDÉRER CETTE AUGMENTATION ABUSIVE, MAIS SURTOUT, **SURTOUT,** VOUS ALLEZ VOUS OCCUPER DE **VOS AFFAIRES** ! ET NE VOUS AVISEZ **JAMAIS PLUS DE ME MENACER !**

LÉOPOLD... S'IL TE PLAÎT...

SBAM !

JE SUIS DÉSOLÉ... SI JE POUVAIS, TU SERAIS PROPRIÉTAIRE. HÉLAS, MES CLIENTS SONT RAREMENT DE BONS PAYEURS.

JE TE PRÉFÈRE FIDÈLE À TES IDÉAUX QUE RICHE À MILLIONS.

JE CONNAIS CE GENRE D'INDIVIDU... IL REVIENDRA À LA CHARGE. ET S'IL N'OBTIENT PAS CE QU'IL DEMANDE, IL IRA BAVASSER AUPRÈS DE DIEU SAIT QUI... OR TU SAIS CE QU'ON RISQUE, SI JAMAIS...

BREF. J'AI PEUR QU'UN DÉMÉNAGEMENT NE S'IMPOSE, MINA.

BONJOUR. VOUS HABITEZ ICI ?

MADAME OKOUNDJI !? QU'EST-CE QUE VOUS FAITES ICI ??

SOUS PRÉTEXTE QUE JE N'AI PAS RENDEZ-VOUS, ON NE VEUT PAS ME LAISSER ENTRER !

HIER, J'ÉTAIS À FRESNES : MON FILS DIT QUE VOUS NE LUI AVEZ PAS RENDU VISITE DEPUIS AU MOINS DIX JOURS !

C'EST VRAI... JE SUIS UN PEU DÉBORDÉ, CES DERNIERS TEMPS ! MAIS JE VAIS M'ARRANGER POUR ALLER LE VOIR DANS LA SEMAINE. PROMIS !

« PROMIS », « PROMIS »... ÇA FAIT UN MOIS QUE VOUS ME RÉPÉTEZ LA MÊME CHOSE !

ÉCOUTEZ, MADAME OKOUNDJI, THÉOPHILE N'EST PAS MON SEUL CLIENT ! ALORS JE FAIS MON POSSIBLE ET JE VOUS TIENS AU COURANT ! D'ACCORD ?

BONJOUR, GAËLLE.

VOUS ÊTES EN RETARD, MAÎTRE. MARTINEAU ET LA FEMME DE PORRINI SONT DÉJÀ LÀ... AINSI QUE PHILIPPE SCHŒLCHER.

SCHŒLCHER ?

CELUI DES SANS-ABRI. LE PROCÈS QU'ON A GAGNÉ IL Y A DEUX ANS...

OUI, JE SAIS ! QU'EST-CE QU'IL VEUT ? L'ASSOCIATION EST DE NOUVEAU SUR LA SELLETTE ?

NON, RIEN À VOIR AVEC « DROIT AU TOIT ». C'EST PERSONNEL, M'A-T-IL DIT...

... ET TRÈS URGENT.

C'EST IMPENSABLE !

J'AI VÉCU DIX ANS AVEC ELLE ET DEPUIS LE DIVORCE, JE CONTINUE À LA VOIR RÉGULIÈREMENT ! JE LA CONNAIS SUFFISAMMENT POUR LA SAVOIR INCAPABLE DE... DE...

JE COMPATIS, MONSIEUR SCHŒLCHER, MAIS SI LE JUGE ENVISAGE DE PLACER VOTRE EX-FEMME EN DÉTENTION, C'EST QUE LES PREUVES À CHARGE SONT ACCABLANTES...

... OR VOUS SAVEZ BIEN QUE JE DÉFENDS PLUS VOLONTIERS LES VICTIMES QUE LES BOURREAUX !

JUSTEMENT ! SI « L'AVOCAT DES GUEUX » DEVIENT CELUI DE ZEINAB, LE JURY NE LA CONDAMNERA PAS D'EMBLÉE.

C'EST GRÂCE À VOUS QUE MON ASSOCIATION A PU SURVIVRE ! QUE DES DIZAINES DE SANS-ABRI NE MOURRONT PAS DE FROID CET HIVER ! ALORS JE VOUS EN CONJURE, MAÎTRE : SAUVEZ ZEINAB COMME VOUS AVEZ SAUVÉ « DROIT AU TOIT » !

LES APPARENCES SONT PEUT-ÊTRE CONTRE ELLE, MAIS ELLE EST INNOCENTE !

JE VAIS RÉFLÉCHIR.

BRANKA ? LÉO.

TROUVE-MOI TOUT CE QUE TU PEUX SUR ZEINAB SCHŒLCHER-ZAÏDI. SON ENTOURAGE, SES AMIS, SON TRAVAIL, L'ASSOCIATION QUI PORTE PLAINTE CONTRE ELLE... JE VEUX TOUT SAVOIR.

COMMENT ?... OH, TROIS FOIS RIEN : CRIME CONTRE L'HUMANITÉ.

CES RECHERCHES QUE VOUS CONFIEZ À BRANKA... JE POURRAIS PARFAITEMENT M'EN OCCUPER !

VOUS EN FAITES DÉJÀ BIEN ASSEZ, GAËLLE. SANS VOUS, JE NE POURRAIS JAMAIS MENER HUIT DOSSIERS DE FRONT !

HUM... « L'EXCÈS DE FLATTERIE TIENT LIEU D'OFFENSE. »

LA BRUYÈRE ?

SÉNÈQUE. AVANT DE VOUS OCCUPER DE VOTRE TORTIONNAIRE, SIGNEZ-MOI TOUT ÇA ! SINON NOUS N'AVANCERONS JAMAIS SUR LE RESTE !

PAR AILLEURS, VOUS NE ME RAMÈNERIEZ QUE DES INFORMATIONS ACCESSIBLES À TOUS...

... OR, CE QUE JE RECHERCHE, C'EST PRÉCISÉMENT CE QU'ON VEUT CACHER. QU'IL S'AGISSE DU CLIENT OU DE LA PARTIE ADVERSE. ET DANS CETTE OPTIQUE, L'ENQUÊTEUR DOIT SAVOIR FLIRTER AVEC LES LIGNES ROUGES...

C'EST BIEN CE QUI ME FAIT PEUR, AVEC BRANKA !

MAISON D'ARRÊT DE FRESNES.

DÉSOLÉ, MONSIEUR BOËLDIEU : SEULS LES PROCHES PARENTS PEUVENT RENDRE VISITE AUX DÉTENUS...

JE SAIS. JETEZ UN COUP D'ŒIL SUR CETTE LETTRE.

13

MAMAN !!? QU'EST-CE QUE ÇA VEUT DIRE ?!?

TES MEUBLES ?! LES STATUETTES ! NOS TABLEAUX ! NE ME DIS PAS QUE...

HÉ, HO ! TU AS VU LA RETRAITE QUE ME DONNE L'ÉTAT ?! TU CROIS QU'ELLE SUFFIT À TOUT PAYER ?

ARRÊTE AVEC TES SORNETTES ! TU AS RECOMMENCÉ, HEIN ?! C'EST ÇA ??

PERDRE TON APPARTEMENT DE NEUILLY NE T'A PAS SERVI DE LEÇON !?

BON DIEU, M'MAN ! TU M'AVAIS PROMIS ! PROMIS ! MAIS QU'EST-CE QU'IL FAUT QUE JE FASSE, À LA FIN ? QUE JE DEMANDE TON PLACEMENT SOUS TUTELLE ?!

C'EST ÇA ! TRAITE-MOI COMME UNE DEMEURÉE !

TU PENSES QUE TU MÉRITES AUTRE CHOSE ?

OUI, UN PEU DE RESPECT FILIAL, PAR EXEMPLE.

ALLEZ ! INSTALLE-TOI, C'EST PRÊT.

DE TOUTE FAÇON, IL NE ME RESTE PLUS UN SOU VAILLANT. ALORS TU VOIS, JE NE RISQUE PLUS DE CÉDER À LA TENTATION. EUH... À CE PROPOS, D'AILLEURS...

QUOI ?

SI ZEINAB EST INNOCENTE, JE N'AI AUCUNE RAISON DE NE PAS LA DÉFENDRE. MAIS... L'INTIME CONVICTION DE SON MARI NE SUFFIT PAS.

À CE PROPOS, D'AILLEURS, J'AIMERAIS TE POSER UNE QUESTION... D'APRÈS SCHŒLCHER, SON EX-FEMME NE PEUT PAS ÊTRE UNE CRIMINELLE, CAR SI C'ÉTAIT LE CAS, IL N'AURAIT PAS PU VIVRE DIX ANS AUPRÈS D'ELLE SANS RIEN SOUPÇONNER...

TU ES D'ACCORD AVEC LUI ?

C'EST L'AVOCAT QUI M'INTERROGE... OU LE FILS ?

LES DEUX.

ÇA RIME À QUOI, DE REVENIR LÀ-DESSUS ?

JE TE L'AI DIT : À ÉCLAIRER MA LANTERNE DANS L'AFFAIRE SCHŒLCHER.

LORSQUE NOUS NOUS SOMMES CONNUS, TON PÈRE ET MOI, IL AVAIT DÉJÀ FINI L'ÉCOLE DE POLICE DE YAOUNDÉ ET VENAIT D'ENTRER À L'INSTITUT SUPÉRIEUR DE DAKAR...

QUAND IL A INTÉGRÉ LE SEDOC*, NOUS VIVIONS DÉJÀ ENSEMBLE. J'IGNORAIS LE RÔLE EXACT DE CET ORGANISME, MAIS...

POLICE ★ CAMEROUNAISE

UN SEUL HÉROS LE PEUPLE

... JE ME DOUTAIS QU'AVEC UNE FORMATION AUSSI POUSSÉE, JACQUES NE SE CONTENTAIT PAS DE RÉGLER LA CIRCULATION.

* SERVICE DE DOCUMENTATION ET D'ÉTUDES DE LA SÉCURITÉ CAMEROUNAISE.

ET COMME LE PAYS ÉTAIT EN PLEINE GUERRE CIVILE, J'AI SUPPOSÉ QU'IL DEVAIT PARFOIS S'OCCUPER DES OPPOSANTS.

UNE TÂCHE QUI L'A BIENTÔT RENDU DE PLUS EN PLUS INVIVABLE...

MAIS MÊME APRÈS L'AVOIR QUITTÉ, JE NE SAVAIS TOUJOURS PAS CE QU'IL AVAIT FAIT PRÉCISÉMENT...

... ET JE L'IGNORERAIS ENCORE SI TU N'ÉTAIS PAS ALLÉ REMUER TOUTE CETTE BOUE.

TU ME LE REPROCHES ?

D'APRÈS TOI, J'AURAIS DÛ ME CONTENTER DE CES PARTIES DE PÊCHE MUETTES AU BORD DU FLEUVE, LORS DE MES RARES VISITES À DOUALA ? SANS CHERCHER À EN SAVOIR PLUS SUR CE PÈRE LOINTAIN ?

QUOI QU'IL EN SOIT, IL ÉTAIT NORMAL QUE JE M'INTÉRESSE À L'HISTOIRE DE MA SECONDE PATRIE, NON ?

ET COMME PAR HASARD, TU N'AS PAS CHOISI LA PÉRIODE DES COMPTOIRS PORTUGAIS OU DU ROYAUME MANDARA...

J'AI CHOISI CELLE DANS LAQUELLE IL ÉTAIT IMPLIQUÉ ! LA PÉRIODE DE L'INDÉPENDANCE ET DES TROUBLES QUI ONT SUIVI ! CELLE DE LA GUERRE CIVILE ! DES SERVICES MIS EN PLACE AVEC L'AIDE DE L'ANCIEN COLONISATEUR POUR ÉCRASER LES ETHNIES REBELLES !

MAMAN ! APRÈS TOUT CE QUE TU AS APPRIS, COMMENT PEUX-TU ENCORE LE DÉFENDRE ?!

ET TOI ? POURQUOI REFUSES-TU SI OBSTINÉMENT DE LE COMPRENDRE ?

CELLE DU SEDOC ET DE SES TORTIONNAIRES, PARMI LESQUELS LE COMMISSAIRE JACQUES SULLY !

« TORTIONNAIRE »... ON DIRAIT QUE TU PRENDS PLAISIR À UTILISER DES MOTS ABOMINABLES !

ÉCOUTE... CE CHÈQUE, C'EST LE DERNIER QUE JE SIGNE. SI J'APPRENDS QUE TU AS RECOMMENCÉ, NON SEULEMENT TU N'AURAS PLUS UN SOU, MAIS JE CONTACTERAI IMMÉDIATEMENT LE JUGE DES TUTELLES. ON EST BIEN D'ACCORD ?

TSSS ! POUR QUELQUES EUROS PERDUS, TU TRAITES TA MÈRE COMME UNE CRIMINELLE, ALORS QUE LÀ-BAS... TU DÉFENDS DES FEMMES QUI POIGNARDENT LEUR MARI !

PARFOIS, JE ME DEMANDE COMMENT TU FONCTIONNES, MON FILS...

19

IL N'EST PAS ENCORE ARRIVÉ. ET VOUS N'AVEZ PAS RENDEZ-VOUS !

AAAAH, GAËLLE... TU NE CHANGERAS JAMAIS. JE N'AI PAS BESOIN DE RENDEZ-VOUS POUR VOIR LÉO.

SIMPLE CURIOSITÉ : POURQUOI TANT D'ANIMOSITÉ À MON ÉGARD ?

MAÎTRE SULLY-DARMON EST TRÈS OCCUPÉ ET...

DIS-MOI, GAËLLE...

MAÎTRE SULLY-DARMON EST UN HOMME FONCIÈREMENT HONNÊTE MAIS DOTÉ D'UN IDÉAL QUI L'ÉGARE PARFOIS... LORSQU'IL EST SOUMIS À UNE MAUVAISE INFLUENCE...

LA MIENNE, PAR EXEMPLE ?

CELLE D'INDIVIDUS SANS FOI NI LOI QUE L'ON TROUVE PARFOIS DANS LES COHORTES DE DÉSESPÉRÉS QUI CHERCHENT À S'INSTALLER DANS NOTRE PAYS !

J'AI VU VOTRE DOSSIER ! SI VOUS AVEZ PU RESTER EN FRANCE, C'EST PARCE QUE LÉO... EUH... MAÎTRE SULLY-DARMON VOUS A JADIS PROCURÉ DE FAUX PAPIERS. UN ACTE QUI, S'IL ÉTAIT DÉCOUVERT, LUI VAUDRAIT SA RADIATION !

OR, AU LIEU DE LUI EN ÊTRE RECONNAISSANTE, VOUS L'AVEZ INCITÉ À RENOUVELER L'OPÉRATION POUR D'AUTRES IMMIGRANTS !

AU CONTRAIRE : JE LUI AI ÉVITÉ UNE ÉNORME BÉVUE. MAIS LA JALOUSIE T'ÉGARE...

LA JALOUSIE ?! N'IMPORTE QUOI ! MES RELATIONS AVEC LÉOPOLD SONT PUREMENT PROFESSIONNELLES !

TANT MIEUX. MAIS MÊME SI CE N'ÉTAIT PAS LE CAS, TU N'AURAIS RIEN À CRAINDRE : JE NE RAFFOLE PAS DES HOMMES, DU MOINS AU LIT.

PAR CONTRE, J'AI UN FAIBLE POUR LES POITRINES COUVERTES DE TACHES DE ROUSSEUR...

HÉ ?!!! NON MAIS...

BONJOUR !

ALORS ?

SUPERBE... DIGNE... LE REGARD FRANC... AU TRIBUNAL, ELLE DEVRA JUSTE CORRIGER SON AIR UN PEU HAUTAIN, MAIS...

DE LA CLASSE, DE LA DIGNITÉ, LA MAÎTRISE DU REGARD... ÇA VOUS SUFFIT POUR DÉFENDRE QUELQU'UN ?

QUAND J'AI LA CONVICTION QUE CE « QUELQU'UN » EST INNOCENT, OUI.

PFFF ! J'AI LU LE DOSSIER DE MADAME SCHŒLCHER. LES PREUVES SONT ACCABLANTES !

EN VOLANT AU SECOURS D'UN BOURREAU, VOUS ALLEZ SALIR VOTRE RÉPUTATION, OU DU MOINS ÉCORNER VOTRE IMAGE DE MARQUE...

ÊTRE LÀ OÙ ON NE NOUS ATTEND PAS... VOILÀ UNE EXCELLENTE STRATÉGIE POUR ATTIRER L'ATTENTION ! PAR AILLEURS, JE...

SI VOUS AVEZ BESOIN D'UNE THÉRAPIE, ALLEZ PLUTÔT VOIR UN PSY...

UN PSY ?

VOUS AVEZ ROMPU TOUTE RELATION AVEC VOTRE PÈRE ET VOUS N'AVEZ JAMAIS PU SAVOIR CE QUI L'AVAIT CONDUIT À DEVENIR UN TORTIONNAIRE ; OR VOICI QU'ARRIVE UNE ÉTRANGÈRE À LA TRAJECTOIRE SANS DOUTE IDENTIQUE ! L'OCCASION EST...

AH, GAËLLE ! VOUS POSSÉDEZ AUTANT DE FINESSE QUE D'IMAGINATION !

DÉSOLÉ DE VOUS DÉCEVOIR, MAIS VOUS FAITES FAUSSE ROUTE.

ENCORE UNE FOIS, SI J'AI ACCEPTÉ DE DÉFENDRE MADAME SCHŒLCHER, C'EST QUE JE CROIS EN SON INNOCENCE ! ELLE VIENT D'AILLEURS DE M'ÊTRE CONFIRMÉE DE FAÇON INATTENDUE...

PAR UN SUPERBE REGARD FRANC ?

NON... PAR UNE INFORMATION QUI, SI ELLE EST EXACTE, NE LAISSERA PLUS PLANER AUCUN DOUTE.

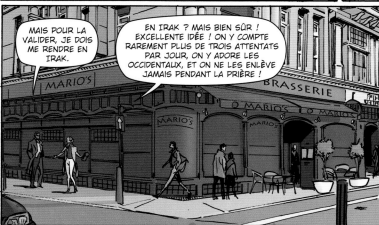

MAIS POUR LA VALIDER, JE DOIS ME RENDRE EN IRAK.

EN IRAK ? MAIS BIEN SÛR ! EXCELLENTE IDÉE ! ON Y COMPTE RAREMENT PLUS DE TROIS ATTENTATS PAR JOUR, ON Y ADORE LES OCCIDENTAUX, ET ON NE LES ENLÈVE JAMAIS PENDANT LA PRIÈRE !

JUSTEMENT : LE CHAOS QUI RÈGNE LÀ-BAS M'EMPÊCHE D'OBTENIR CES DOCUMENTS DEPUIS PARIS.

QUELS DOCUMENTS ?

CEUX QUI PROUVENT L'EXISTENCE DE LEÏLA ZAÏDI — LA SŒUR JUMELLE DE ZEINAB — ET SA PRÉSENCE COMME OFFICIER À BOUSSARA.

SA SŒUR JUMELLE ?!

ZEINAB A UNE SŒUR JUMELLE ET ELLE A ATTENDU QUATRE JOURS AVANT DE SORTIR L'INFO DE SON CHAPEAU ?

MÊME QUAND ILS NE SE FRÉQUENTENT PLUS, LES JUMEAUX GARDENT DES LIENS INDÉFECTIBLES : DANS UN PREMIER TEMPS, ZEINAB S'EST REFUSÉE À IMPLIQUER LEÏLA...

IL M'A FALLU DES TRÉSORS DE PATIENCE POUR DÉCOUVRIR SON EXISTENCE...

... ET PLUS ENCORE POUR LUI DÉMONTRER QU'IL S'AGISSAIT LÀ DE SON UNIQUE PLANCHE DE SALUT.

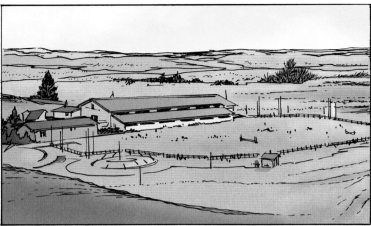

BANLIEUE PARISIENNE, PONEY CLUB DES DRYADES.

ELLE A FUI JUSTE AVANT LA SECONDE GUERRE ENTRE L'IRAK ET LES FORCES DE L'ONU...

ELLE NE VOULAIT PAS REVIVRE LE CALVAIRE DU PREMIER CONFLIT, QUAND 80 000 TONNES DE BOMBES S'ÉTAIENT ABATTUES SUR LE PAYS !

POURQUOI LA FRANCE ?

« LA FRANCE, TERRE D'ACCUEIL »... À L'ÉTRANGER, CERTAINS Y CROIENT ENCORE ! MAIS LA RÉALITÉ L'A VITE RATTRAPÉE.

L'APPRENTISSAGE DE LA LANGUE, LA RECHERCHE D'UN ABRI, LA MULTIPLICATION DES PETITS BOULOTS...

... ENTRE AUTRES UN EMPLOI DE VENDEUSE DANS UNE BOUTIQUE DE LUXE DONT LA PATRONNE, MARIE BOËLDIEU, AVAIT FAIT SES ÉTUDES AVEC MOI.

MARIE AVAIT PRIS ZEINAB EN SYMPATHIE ET C'EST LORS D'UNE SOIRÉE CHEZ ELLE QUE JE L'AI RENCONTRÉE.

J'EN SUIS TOMBÉ TOUT DE SUITE AMOUREUX. HÉLAS, LE COUP DE FOUDRE N'ÉTAIT PAS RÉCIPROQUE, ET J'AI MIS DES MOIS À LA FAIRE CRAQUER !

MAIS LE JEU EN VALAIT LA CHANDELLE ! ZEINAB ÉTAIT INTELLIGENTE, TRAVAILLEUSE, CAPABLE DE S'ADAPTER À SA NOUVELLE SITUATION, ET ELLE S'EST RÉVÉLÉE PLUS TARD UNE EXCELLENTE MÈRE...

LES PREMIÈRES ANNÉES, J'ÉTAIS SUR UN PETIT NUAGE ! TOUT ALLAIT BIEN : MA FEMME AVAIT TROUVÉ UN POSTE DE TRADUCTRICE DANS UNE GRANDE ENTREPRISE, NOUS AVIONS PU ACHETER À CRÉDIT UN PETIT PAVILLON À CLAMART, NOUS AVIONS DEUX ENFANTS ADORABLES...

DANS CE CAS, POURQUOI VOUS ÊTES-VOUS SÉPARÉS ?

AU FIL DU TEMPS, ZEINAB EST DEVENUE DE MOINS EN MOINS PATIENTE AVEC MES DÉFAUTS, LES ACCROCHAGES SE SONT MULTIPLIÉS À PROPOS DE TOUT ET DE RIEN...

... ELLE S'EST MISE À RENTRER DE PLUS EN PLUS TARD, À PRENDRE DES MISSIONS LE WEEK-END, À MULTIPLIER LES PRÉTEXTES POUR SE TROUVER LE MOINS POSSIBLE SEULE AVEC MOI...

AU DÉBUT, JE N'AI PAS COMPRIS. PUIS J'AI FINI PAR ME DEMANDER SI ZEINAB N'AVAIT PAS ACCEPTÉ MA PROPOSITION PAR DÉFAUT ! PARCE QU'ELLE ÉTAIT PERDUE... PARCE QUE JE REPRÉSENTAIS UNE PLANCHE DE SALUT...

EN TOUT ÉTAT DE CAUSE, IL DEVENAIT CLAIR QUE ZEINAB NE M'AIMAIT PLUS, ET J'EN AI TIRÉ LES CONCLUSIONS QUI S'IMPOSAIENT.

C'EST MOI QUI AI SUGGÉRÉ L'IDÉE DE NOTRE SÉPARATION. J'AI TOUT FAIT POUR QU'ELLE SE PASSE BIEN ET... ET NOUS AVONS CONSERVÉ DE TRÈS BONNES RELATIONS.

EST-CE QUE... EST-CE QUE ZEINAB VOUS A DÉJÀ PARLÉ DE SA SŒUR ?

D'AILLEURS, ELLE A GARDÉ MON NOM.

26

* MERCI ! JE NE SUIS PAS UNE VOLEUSE, VOUS SAVEZ ! – ** BIEN SÛR QUE NON ! C'EST CE MÉCRÉANT QUI A VOULU VOUS PIÉGER !

FRESNES. MAISON D'ARRÊT DES FEMMES.

... ET À TREIZE ANS, ON M'A MARIÉE DE FORCE À UN CHAUDRONNIER QUI AVAIT TROIS FOIS MON ÂGE. J'AI VÉCU PLUSIEURS ANNÉES DANS SON VILLAGE, TOUJOURS À LA FRONTIÈRE DU KURDISTAN...

PENDANT CE TEMPS ET POUR ÉCHAPPER À UN DESTIN DE CE GENRE, LEÏLA ENTRAIT DANS L'ARMÉE. ELLE Y A RENCONTRÉ SON FUTUR MARI, AKRAM AL-HAMDANI... UN OFFICIER TUÉ DURANT LA PREMIÈRE GUERRE D'IRAK ET DONT ELLE A CONSERVÉ LE NOM.

DE MON CÔTÉ, J'AI CRAQUÉ. INCAPABLE DE SUPPORTER LES... LA BRUTALITÉ DE MON ÉPOUX, J'AI FUI LE VILLAGE POUR GAGNER MOSSOUL.

J'AI TRAVAILLÉ COMME DOMESTIQUE DANS UNE RICHE FAMILLE KURDE AVANT DE QUITTER LE PAYS AVEC D'AUTRES FUGITIFS, VIA LA FRONTIÈRE TURQUE...

PHILIPPE SCHŒLCHER, VOTRE MARI...

OUI ?

VOUS L'AVEZ ÉPOUSÉ PAR AMOUR ?

C'EST IMPORTANT ?

S'IL Y A PROCÈS, LE JURY PRENDRA EN COMPTE CHAQUE FACETTE DE VOTRE PERSONNALITÉ...

PHILIPPE ÉTAIT UN HOMME HONNÊTE, DRÔLE, PLUTÔT BEAU GARÇON... NOUS PARTAGIONS LES MÊMES GOÛTS ET IL ÉTAIT AMOUREUX DE MOI... DANS MA SITUATION, J'AURAIS ÉTÉ FOLLE DE REFUSER SES AVANCES !

C'EST TOUT ? VOUS NE RESSENTIEZ RIEN POUR LUI ?

SI, BIEN SÛR... AU DÉBUT, DE LA SYMPATHIE. ET PUIS... SES SENTIMENTS POUR MOI, SA TENDRESSE ET SA PERSÉVÉRANCE ONT FINI PAR ME TOUCHER...

VOUS TOUCHER ?

OUI ! JE NE PEUX PAS DIRE QUE J'ÉTAIS AMOUREUSE, MAIS... J'ÉPROUVAIS POUR LUI BEAUCOUP D'AFFECTION... C'EST ÇA... DE L'ESTIME ET UNE GRANDE AFFECTION.

QU'EST-CE QUI N'A PAS MARCHÉ, ALORS ?

CHEZ NOUS, JE VEUX DIRE EN IRAK, UNE TELLE UNION AURAIT ÉTÉ IDYLLIQUE... MAIS JE SUPPOSE QUE VOS COUTUMES M'ONT CONTAMINÉE...

QUE VOULEZ-VOUS DIRE ?

JE VEUX DIRE QUE LE DÉCALAGE ENTRE NOS SENTIMENTS M'EST DEVENU TROP PESANT...

JE VEUX DIRE QUE COMME LES FEMMES D'ICI, J'AI EU ENVIE D'UN HOMME DONT J'AURAIS ÉTÉ MOI AUSSI AMOUREUSE !

ET... POUR ASSOUVIR CETTE ENVIE ? VOUS AVEZ PRIS UN AMANT ?

JE NE VOIS PAS L'INTÉRÊT DE CETTE QUESTION.

SI VOUS VOULEZ QUE JE RESTE VOTRE AVOCAT, IL FAUDRA ME LAISSER SEUL JUGE DANS CE DOMAINE. EN L'OCCURRENCE, JE PEUX VOUS DIRE QUE CETTE QUESTION, LA PARTIE CIVILE VOUS LA POSERA ! ET QUE LE JURY SERA TRÈS ATTENTIF À VOTRE RÉPONSE...

NON. JE N'AI PAS CONNU D'AUTRE HOMME QUE MES DEUX MARIS.

PARFAIT ! UNE MÈRE ET UNE ÉPOUSE IRRÉPROCHABLES... LES JURYS ADORENT !

PAR CONTRE... IL NOUS FAUDRA REVOIR LE PASSAGE SUR VOTRE RENCONTRE AVEC PHILIPPE... J'AIMERAIS QU'À LA BARRE, VOUS MONTRIEZ... COMMENT DIRE ?... UN PEU PLUS DE CHALEUR À SON ÉGARD !

CELA DIT, J'ESPÈRE QUE JE N'AURAI PAS À PLAIDER. VOUS POURRIEZ ME MONTRER LES LIEUX OÙ VOUS AVEZ VÉCU ?

EN IRAK ? POUR QUOI FAIRE ?

POUR QUE JE PUISSE EN RAMENER LES ÉLÉMENTS DONT J'AI BESOIN.

VOUS COMPTEZ VOUS RENDRE SUR PLACE ?

LA PARTIE ADVERSE A FOURNI LE TÉMOIGNAGE DE « VOS » VICTIMES, UN ORGANIGRAMME DU CAMP ET DES PHOTOS DE « VOUS » SUR LES LIEUX. POUR VOUS REMETTRE EN LIBERTÉ, LE JUGE RÉCLAMERA AU MINIMUM LA PREUVE QUE VOUS AVEZ BIEN UNE SŒUR JUMELLE...

ET CETTE PREUVE, JE NE PEUX LA TROUVER QU'EN IRAK...

TANIA FERNANDEZ... ALORS, C'EST VOUS QUI TRANSFORMEZ LES CHAMBRES DE BONNE EN CHAMPS DE CANNABIS ?

MA CHAMBRE. POUR MA CONSO PERSONNELLE.

NOUS ALLONS VOIR ÇA. D'HABITUDE, JE NE TRAITE PAS CE GENRE D'AFFAIRE, MAIS PUISQUE VOUS ÊTES UNE AMIE DE BRANKA...

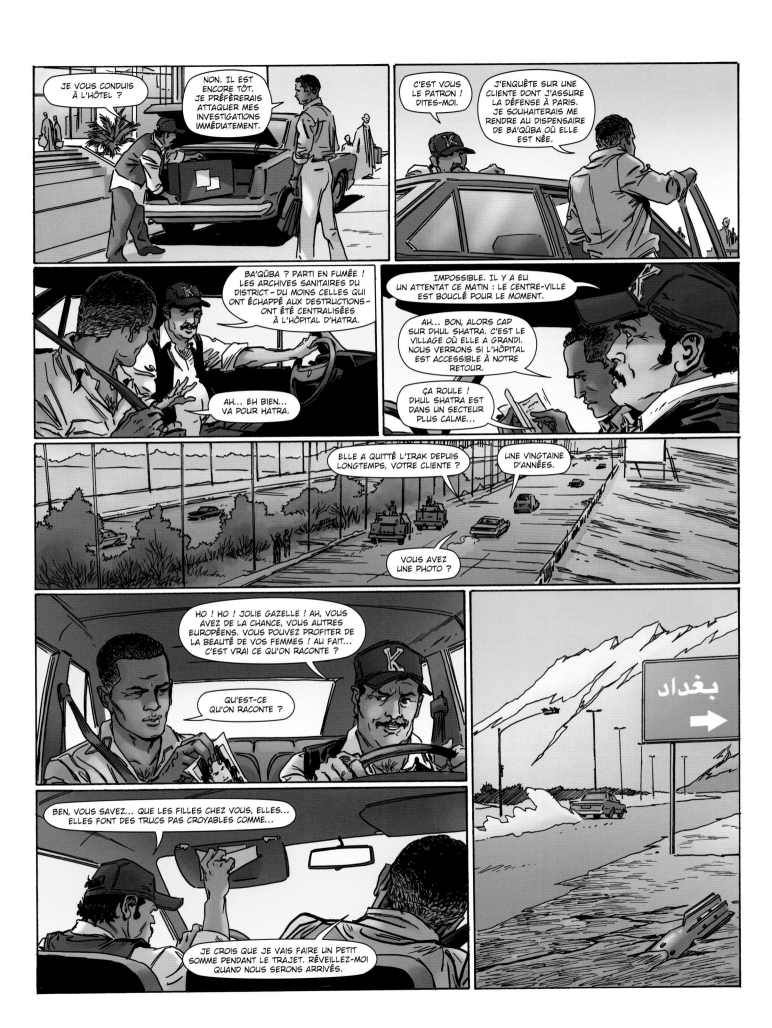

MONSIEUR LÉO ! J'AI LA PERSONNE QUE VOUS CHERCHEZ ! UNE ANCIENNE VOISINE DES ZAÏDI...

VOUS L'AVEZ PAYÉE ?

BIEN SÛR ! ET J'AI AUSSI PAYÉ CEUX QUI N'AVAIENT RIEN À DIRE ! REGARDEZ AUTOUR DE VOUS : LES GENS SONT MISÉREUX.

POUR QU'ILS DAIGNENT S'INTÉRESSER À VOS PROBLÈMES, IL FAUT AGITER LES BILLETS.

QU'EST-CE QUI ME PROUVE QU'ELLE NE ME DIRA PAS SEULEMENT CE QUE JE VEUX ENTENDRE ?

À VOUS DE POSER LES BONNES QUESTIONS.

ELLE NOUS INVITE À BOIRE LE THÉ, ON Y VA ?

ELLE SE SOUVIENT PARFAITEMENT DE ZEINAB ! ET DE SA SŒUR. DES JUMELLES QUI SE RESSEMBLAIENT COMME DEUX DINARS SORTIS DE LA BANQUE !

ELLE A ÉVOQUÉ AUTRE CHOSE, NON ? UNE MARQUE OU UNE TACHE QUI PERMETTAIT DE LES DIFFÉRENCIER...

VOUS PARLEZ ARABE ?

J'AI DE VAGUES NOTIONS...

ALORS ?

AH... OUI... EUH... ZEINAB AVAIT UNE TACHE EN FORME DE CROISSANT DERRIÈRE LE GENOU DROIT, QUE NE POSSÉDAIT PAS SA SŒUR, LEÏLA.

J'AIMERAIS QU'ELLE ME RÉPÈTE TOUT ÇA, MAINTENANT.

ET VOILÀ ! BAB-EL-AÏN... DIGNE DES MILLE ET UNE NUITS, NON ?

ALORS ? QU'EST-CE QU'ON CHERCHE, ICI ?

L'EX-MARI DE MA CLIENTE.

JE M'EN OCCUPE !

NOUS POURRIONS NOUS SÉPARER POUR GAGNER DU TEMPS.

BAH ! VOUS AVEZ BIEN VU, MONSIEUR LÉO : ICI, ON SE MÉFIE DES OCCIDENTAUX. MÊME QUAND ILS BARAGOUINENT L'ARABE.

NON... ALLEZ TRANQUILLEMENT VOUS RAFRAÎCHIR. SI VOTRE HOMME VIT ICI, JE LE TROUVERAI.

BIEN. JE VOUS NOTE SON NOM : ABDUSELLAM HUSAYN. À L'ÉPOQUE, IL ÉTAIT CHAUDRONNIER.

GAËLLE

PORRINI ? OUI, JE L'AI VU. IL... QUOI ?

SA FEMME PERSISTE À VOULOIR FAIRE APPEL ? AH NON, NON ! ON VA AU CASSE-PIPE, LÀ... PRENEZ-MOI UN AUTRE RENDEZ-VOUS AVEC ELLE, JE DOIS ABSOLUMENT LA DISSUADER.

AU FAIT... VOUS AVEZ COMMUNIQUÉ LES PIÈCES DU DOSSIER ZAÏDI À MAÎTRE MUZAFFAR ?

BIEN. MERCI, GAËLLE. JE VAIS DEVOIR VOUS LAISSER... OUI, JE SAIS. JE METTRAI LES BOUCHÉES DOUBLES À MON RETOUR.

APPELEZ-MOI HOLMES !

VOTRE BONHOMME NOUS ATTEND.

BAGDAD. QUARTIER DE KARRADA.

JE VOUS AMÈNE DANS MON QG : LE BAR DU BABYLON ! ÇA NOUS CHANGERA DES BOUIS-BOUIS DE DHUL SHATRA !

ET ICI, LES RARES FEMMES QU'ON CROISE NOUS LAISSENT PROFITER DE LEURS ATTRIBUTS ! C'EST MIEUX, NON ?

DITES-MOI, MONSIEUR LÉO... VOUS AVEZ DU SANG AFRICAIN, NON ?

OUI... CAMEROUNAIS. POURQUOI ?

JAHMIR, VOUS ÊTES PATHÉTIQUE ET VOUS ME FATIGUEZ. JE VAIS ME PASSER DE VOS SERVICES.

AH... C'EST BIEN, ÇA... ALORS VOUS ÊTES SÛREMENT... MIEUX LOTI QUE NOUS AUTRES, N'EST-CE PAS ? LES FEMMES DOIVENT ÊTRE FOLLES DE VOUS ! PAS VRAI ?

NON ! MAIS... ATTENDEZ, MONSIEUR LÉO !

MERDE...

HÔPITAL D'HATRA, LE LENDEMAIN.

BONJOUR, MONSIEUR LÉO !

C'EST PAS GENTIL DE M'AVOIR LÂCHÉ COMME ÇA, HIER ! APRÈS TOUT CE QUE J'AI FAIT POUR VOUS !

JAHMIR, S'IL VOUS PLAÎT, JE PENSAIS AVOIR ÉTÉ ASSEZ CLAIR...

BAH, JE VOUS EN VEUX PAS !

BONJOUR. MAÎTRE SULLY-DARMON.

RAVI DE VOUS RENCONTRER. ALI EL-JANABI.

ET POUR VOUS LE PROUVER... J'AI DÉJÀ TROUVÉ L'ARCHIVISTE ! IL NOUS ATTEND. SANS MOI, VOUS Y PASSIEZ LA MATINÉE ! ET SANS ASSURANCE DE RÉSULTAT, CROYEZ-MOI.

... VOUS AVEZ DE LA CHANCE : CELUI DE VOTRE CLIENTE N'A PAS ÉTÉ DÉTRUIT. LES PETITES ZAÏDI SONT BIEN NÉES AU DISPENSAIRE DE BA'QÛBA.

OÙ EST-CE QUE JE VOUS EMMÈNE MAINTENANT, MONSIEUR LÉO ?

À L'AÉROPORT. J'AI UN RENDEZ-VOUS AVANT MON DÉPART.

AVEC LA GUERRE, DE NOMBREUX DOSSIERS ONT DISPARU : LES BOMBES NE TOMBAIENT PAS QUE SUR LES INFRASTRUCTURES MILITAIRES ! MAIS...

DES JUMELLES, DONC ?

OUI. DES MONOZYGOTES EN PLEINE SANTÉ. JE VOUS AI FAIT UNE COPIE.

BIEN ! MERCI.

VOUS ÊTES SÛR QUE VOUS N'AUREZ PAS BESOIN DE MOI ? POUR LA TRADUCTION ?

MON INTERLOCUTEUR PARLE FRANÇAIS.

AU REVOIR, JAHMIR.

AU REVOIR, MONSIEUR LÉO...

BONJOUR, MAÎTRE MUZAFFAR. MERCI DE ME RECEVOIR DANS CES CONDITIONS, MAIS JE NE POUVAIS PAS RESTER DAVANTAGE.

JE VOUS EN PRIE.

COMME VOUS AVEZ PU LE VOIR DANS LE DOSSIER, LES FAITS REPROCHÉS À MA CLIENTE SE SERAIENT DÉROULÉS EN IRAK. DANS LE CAS OÙ NOUS IRIONS JUSQU'AU PROCÈS, J'AURAIS DONC BESOIN D'UN RELAIS LOCAL.

« DANS LE CAS OÙ » ?

OUI, GRÂCE AUX PIÈCES RÉUNIES CES DERNIÈRES 48 HEURES, J'ESPÈRE METTRE UN TERME À LA PROCÉDURE.

ALORS, EN QUOI PUIS-JE VOUS ÊTRE UTILE ?

POUR RÉHABILITER DÉFINITIVEMENT MADAME ZAÏDI, JE DOIS RETROUVER SA SŒUR. OU TOUT AU MOINS DES TRACES DE SON PARCOURS, SURTOUT MILITAIRE.

JE VAIS ESSAYER, MAIS... LA GUERRE A FAIT DES RAVAGES...

QUAND LES DOSSIERS N'ONT PAS ÉTÉ DÉTRUITS, ILS ONT ÉTÉ DISPERSÉS SANS QUE L'ON SACHE TOUJOURS OÙ... D'AUTRES, TROP COMPROMETTANTS, ONT SIMPLEMENT DISPARU.

JE SAIS. JE VOUS DEMANDE JUSTE DE FAIRE AU MIEUX.

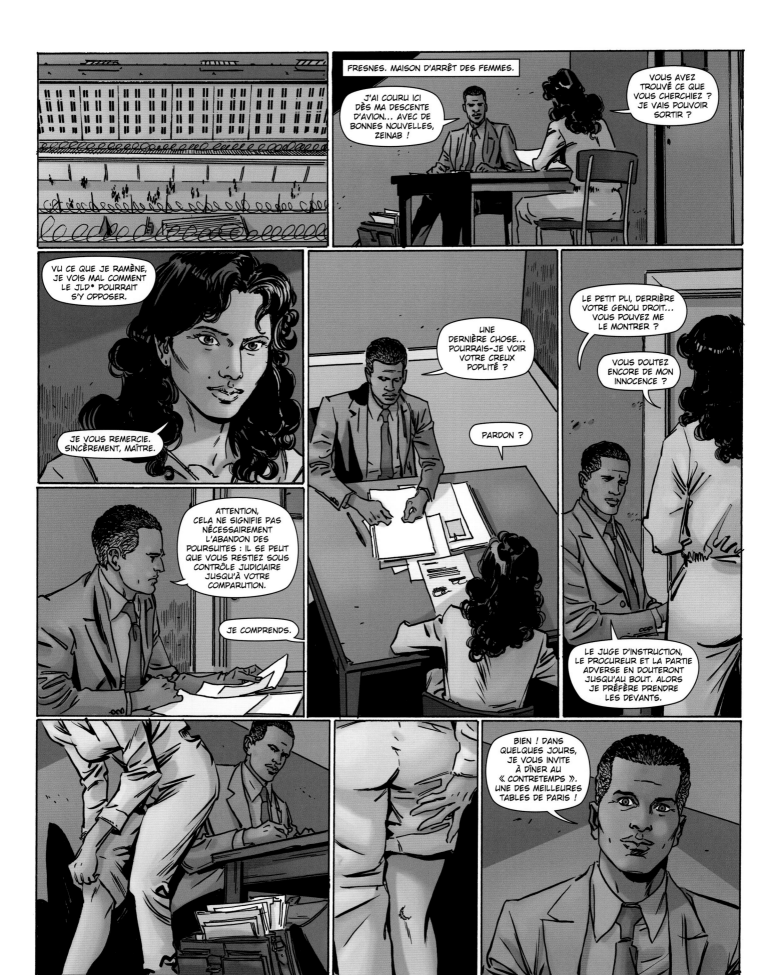

FRESNES. MAISON D'ARRÊT DES FEMMES.

J'AI COURU ICI DÈS MA DESCENTE D'AVION... AVEC DE BONNES NOUVELLES, ZEINAB !

VOUS AVEZ TROUVÉ CE QUE VOUS CHERCHIEZ ? JE VAIS POUVOIR SORTIR ?

VU CE QUE JE RAMÈNE, JE VOIS MAL COMMENT LE JLD* POURRAIT S'Y OPPOSER.

JE VOUS REMERCIE. SINCÈREMENT, MAÎTRE.

ATTENTION, CELA NE SIGNIFIE PAS NÉCESSAIREMENT L'ABANDON DES POURSUITES : IL SE PEUT QUE VOUS RESTIEZ SOUS CONTRÔLE JUDICIAIRE JUSQU'À VOTRE COMPARUTION.

JE COMPRENDS.

UNE DERNIÈRE CHOSE... POURRAIS-JE VOIR VOTRE CREUX POPLITÉ ?

PARDON ?

LE PETIT PLI, DERRIÈRE VOTRE GENOU DROIT... VOUS POUVEZ ME LE MONTRER ?

VOUS DOUTEZ ENCORE DE MON INNOCENCE ?

LE JUGE D'INSTRUCTION, LE PROCUREUR ET LA PARTIE ADVERSE EN DOUTERONT JUSQU'AU BOUT. ALORS JE PRÉFÈRE PRENDRE LES DEVANTS.

BIEN ! DANS QUELQUES JOURS, JE VOUS INVITE À DÎNER AU « CONTRETEMPS ». UNE DES MEILLEURES TABLES DE PARIS !

* LE JUGE DES LIBERTÉS ET DE LA DÉTENTION.

44

... CAR LA CHANCE A VOULU QUE LES SITES EN QUESTION SE TROUVENT DANS DES SECTEURS RELATIVEMENT SÉCURISÉS.

À CE PROPOS, QUE MANQUE-T-IL POUR QUE LA JUSTICE ABANDONNE DÉFINITIVEMENT LA PROCÉDURE LANCÉE À L'ENCONTRE DE ZEINAB SCHŒLCHER-ZAÏDI ?

L'INSTRUCTION EST ENCORE EN COURS. JE NE SUIS PAS AUTORISÉ À RÉPONDRE À CE GENRE DE QUESTION.

PEUT-ÊTRE, MAIS LA FORTUNE NE SOURIT QU'AUX AUDACIEUX, ET IL FAUT UNE BONNE DOSE DE COURAGE POUR SILLONNER L'IRAK EN CE MOMENT !

JE N'AVAIS PAS LE CHOIX, LA LIBÉRATION DE MA CLIENTE ÉTAIT À CE PRIX.

ALORS PERMETTEZ-MOI DE VOUS EN POSER UNE AUTRE, PEUT-ÊTRE PLUS DÉLICATE...

QU'ÉPROUVEZ-VOUS À COMBATTRE LE COMITÉ DES ANCIENS DÉTENUS POLITIQUES IRAKIENS, UNE ASSOCIATION QUE VOUS AURIEZ NAGUÈRE PU DÉFENDRE ?